铃木绘本·蒲公英系列② S0-AWI-070

小蜜蜂嗡嗡

〔日〕长谷川香子/著绘　彭　懿　周龙梅/译

海豚出版社
DOLPHIN BOOKS

IPG　中国国际出版集团

小蜜蜂嗡嗡，
嗡嗡嗡，
嗡嗡嗡，
你要去哪里？

"我呀，
要去一个好地方。"

嗡嗡最喜欢花了。

"花姐姐，你好！
我们一起玩儿吧。"

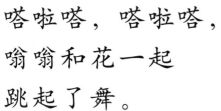

嗒啦嗒，嗒啦嗒，
嗡嗡和花一起
跳起了舞。

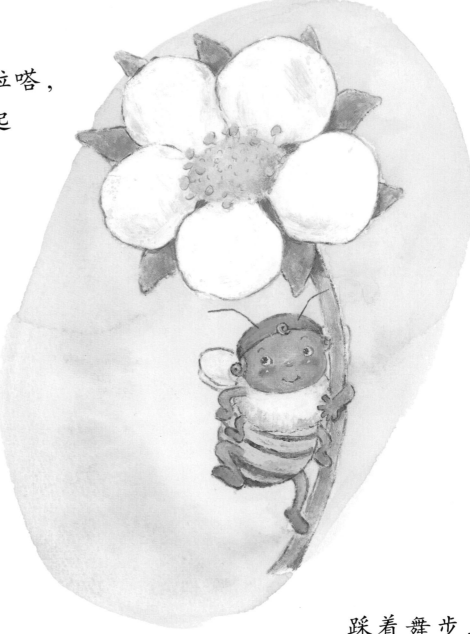

踩着舞步，
咚咚咚！

用花粉化妆，
啪啪啪！

在那朵花上滚啊滚。

在这朵花上跳啊跳。

肚子饿了怎么办？

"吃甜甜的蜜呗。"

玩够了，玩累了，
嗡嗡躺在花床上，
晃晃悠悠睡午觉。
嗡嗡和花是好朋友。

小蜜蜂嗡嗡，
嗡嗡嗡，
嗡嗡嗡，
你要去哪里？

"今天也去和花玩儿。"

"啊，
花瓣都落了！"

"花姐姐不见了，
没人和我玩儿了。"
嗡嗡伤心地哭了。

这时，太阳公公说：

"嗡嗡别担心，会有人和你玩儿的。"

风阿姨也说：

"嗡嗡不用哭，马上就有好事儿发生。"

没过多久……

哎？
花的中央鼓了起来。

鼓啊鼓，
越鼓越大。

哎呀，哎呀，
哎呀呀！

嘿嘿嘿！

和嗡嗡一起玩得很开心的花呀，
全都变成了红彤彤的草莓。
"我们一起玩儿吧，
草莓姐姐！"